Schnelle Küche

Schnelle Küche

INHALTS-VERZEICHNIS

SALATE & SNACKS

Schnell was Gesundes auf den Tisch gebracht: Mit Salaten und kleinen Snacks überlisten Sie den Hunger und liefern Ihrem Körper zudem noch viele Vitamine und Mineralstoffe.

ZUCCHINI-BLÜTEN

Zubereitungszeit: ca. 25 Minuten
Für 4 Portionen

8 Zucchini-Blüten
250 g Schollenfilet
200 g Nordseekrabben
1 Birne
2 Scheiben Pumpernickel
2 El Olivenöl
Salz
Pfeffer
Zitronensaft
100 g Frischkäse
Anispulver
Nelkenpulver

Die Blüten abbrausen, behutsam öffnen und die Blütenstempel herauslösen. Den Fisch waschen, trocknen und in kleine Würfel schneiden.

Die Krabben waschen und trocknen. Die Birne schälen, halbieren, das Kerngehäuse entfernen und in Würfel schneiden.

Die Pumpernickelscheiben zerbröseln. Den Backofen auf 180 °C vorheizen. Das Öl in einer Pfanne erhitzen und Fisch und Krabben darin andünsten. Mit Salz, Pfeffer und Zitronensaft würzen.

Alles vom Herd nehmen und den Frischkäse unterrühren. Die Birne und das Brot dazugeben. Alles mit Salz, Pfeffer, Anis- und Nelkenpulver abschmecken.

Die Masse in die Blüten füllen und alles im Backofen auf der mittleren Einschubleiste ca. 7 Minuten garen.

MAIRÜBEN MIT KORIANDER

Zubereitungszeit: ca. 20 Minuten
Für 4 Portionen

- *800 g Mairüben*
- *15 g Ingwer*
- *4 Schalotten*
- *2 Orangen (unbehandelt)*
- *1 Bund Koriander*
- *3 El Butter*
- *Salz*
- *Pfeffer*
- *Zucker*
- *400 g Schweinebraten*

Die Mairüben schälen und in Würfel schneiden. Den Ingwer schälen und reiben.

Die Schalotten schälen und in kleine Würfel schneiden. Die Orangen auspressen und ein wenig von der Schale abreiben.

Den Koriander waschen, trocknen und die Blättchen abzupfen. Die Butter in einem Topf erhitzen und das Gemüse darin andünsten.

Nach ca. 4 Minuten Orangensaft und -schale mit den Korianderblättchen dazugeben.

Alles mit Salz, Pfeffer und Zucker abschmecken. Den Schweinebraten in Scheiben schneiden, auf Tellern anrichten und das Gemüse darauf servieren.

KERNIGER BIRNEN-SPECK-SALAT

Zubereitungszeit: ca. 20 Minuten
Für 4 Portionen

4 Salatherzen
150 g Walnüsse
2 Williamsbirnen
6 El Birnensaft
6 El Ananassaft
3 El Öl
1 Tl Sahnemeerrettich
1 Tl grober Senf
Salz
Zitronenpfeffer
1 Prise Zucker
5 El Crème double
Korianderpulver
4 Scheiben Speck

Die Salatherzen halbieren, waschen und trocknen. Einige Walnüsse beiseitelegen, den Rest grob hacken.

Die Birnen schälen, halbieren, das Kerngehäuse entfernen, vierteln und in dünne Spalten schneiden. Mit den Salatherzen auf Tellern anrichten. Gehackte Walnüsse darüberstreuen.

Je 2 El Birnen- und Ananassaft mit Öl, Meerrettich, Senf, etwas Salz, Pfeffer und Zucker in einer Schüssel verrühren. Die Marinade über die Salatherzen und die Birnen träufeln.

Crème double mit dem restlichen Saft verrühren und mit Salz, Zitronenpfeffer und Korianderpulver gut abschmecken.

Den Speck in einer Pfanne ohne Fett knusprig braten. Die Creme über den Salat geben und die restlichen Walnüsse mit den Speckscheiben darauf anrichten.

TEIG-TASCHEN

Zubereitungszeit: ca. 30 Minuten
Für 4 Portionen

200 g Mehl, 2 Eier
1/2 Tl Salz, 100 g Thai-Soi
1 Zwiebel
1/2 Bund Koriandergrün
50 g ungesalzene Erdnüsse
2 El Öl
250 g Schweinehackfleisch
2 El Fischsauce (FP)
1 Tl brauner Zucker
Frittierfett zum Ausbacken
Süß-saure Sauce (FP)

Mehl, Eier und Salz zu einem geschmeidigen Teig verrühren. Thai-Soi putzen, waschen, trocknen und klein schneiden. Die Zwiebel schälen und in feine Würfel schneiden. Koriander waschen, trocknen und fein hacken. Die Erdnüsse grob hacken. Das Öl erhitzen und Erdnüsse, Koriander, Zwiebel und Thai-Soi kurz andünsten. Das Hackfleisch dazugeben und 3–5 Minuten kräftig anbraten. Mit Fischsauce und Zucker abschmecken.

Den Teig so dünn wie möglich ausrollen und Quadrate von ca. 9 cm Länge ausschneiden. Jeweils 1 Esslöffel der Füllung in die Mitte der Teigquadrate geben und die Teigränder mit Wasser einstreichen. Die Teigblätter zu Dreiecken zusammenklappen und die Ränder fest andrücken. Die beiden Enden der langen Kanten mit Wasser befeuchten und übereinanderlegen. Dann das überstehende obere Ende nach außen umklappen, sodass die Teigtaschen rundum geschlossen sind. Die Teigtaschen in heißem Frittierfett goldbraun ausbacken und mit der Sauce servieren.

GEBRATENE KOHLRABI

Zubereitungszeit: ca. 20 Minuten
Für 4 Portionen

1 kg dicke Kohlrabi, Salz
1 Bund Petersilie, 1 Bund Basilikum
50 g gemahlene Mandeln
8 El Öl, etwas Pfeffer
1 Bund Schnittlauch
2 El Paniermehl
75 g geriebener Käse
1 Ei, 2 El Mehl
Butter oder Margarine zum Braten

Die Kohlrabi schälen und in 1 cm dicke Scheiben schneiden. In kochendes Salzwasser geben und 8–10 Minuten garen. Abtropfen lassen.

Für die Kräuterpaste die Kräuter waschen, trocken tupfen und fein hacken. Mit den Mandeln und dem Öl verrühren. Die Paste mit Salz und etwas Pfeffer abschmecken.

Den Schnittlauch waschen, trocken tupfen und in Röllchen schneiden. Mit dem Paniermehl und dem geriebenen Käse mischen. Das Ei verschlagen.

Die Kohlrabischeiben nacheinander in Mehl, Ei und der Käsemischung wenden. In heißem Fett von jeder Seite in 2–3 Minuten hellbraun braten.

Die Kohlrabischeiben mit der Kräuterpaste servieren.

HUMMER-SALAT

Zubereitungszeit: ca. 25 Minuten
Für 4 Portionen

400 g Wassermelone
300 g Honigmelone
Saft von 1 Zitrone
2 El Akazienhonig
6 Blättchen Minze
1 El Zucker
3 El Traubenkernöl
500 g ausgelöster Hummer
50 g Cashewkerne

Das Fruchtfleisch der Melonen mit dem Kugelausstecher herauslösen. Die Schale der Wassermelone beiseitestellen.

Den Zitronensaft mit dem Honig, der Minze, dem Zucker und dem Öl verrühren.

Das Hummerfleisch grob zerteilen. Die Melonenbällchen mit dem Hummerfleisch in die Melone geben und mit der Sauce beträufeln. Alles mit den Cashewkernen garnieren.

TOMATEN-OLIVEN-CROSTINI

Zubereitungszeit: ca. 25 Minuten (plus Zeit zum Marinieren)
Für 4 Portionen

- *4 Eiertomaten*
- *1 Fleischtomate*
- *1 Tl Meersalz*
- *2 grüne Chilis*
- *3 Knoblauchzehen*
- *1 Tl frische Thymianblättchen*
- *1 Tl frische Oreganoblättchen*
- *1 Tl frische Basilikumblättchen*
- *4 El Olivenöl*
- *250 g schwarze Oliven*
- *Pfeffer aus der Mühle*
- *2 Baguette-Brötchen*
- *3 El Knoblauchöl*

Die Tomaten waschen, trocknen, halbieren, den Stielansatz entfernen, vierteln und anschließend in kleine Würfel schneiden.

Die Tomatenwürfel mit dem Salz in eine Schüssel geben und mischen. Dann im Kühlschrank ca. 15 Minuten ziehen lassen.

Die Chilischoten waschen, trocknen, halbieren, die Kerne entfernen und fein hacken. Die Knoblauchzehen schälen und fein hacken.

Die Kräuter waschen, trocknen und klein hacken. Das Öl in einer Pfanne erhitzen und die Chilischoten mit dem Knoblauch darin andünsten. Die Kräuter dazugeben.

Die Oliven in einem Sieb abtropfen lassen, halbieren, die Kerne entfernen und das Fruchtfleisch in Scheiben schneiden.

Die Oliven und die Tomaten zum Knoblauch geben und alles zusammen ca. 8 Minuten bei schwacher Hitze köcheln lassen. Alles mit Salz und Pfeffer abschmecken.

Inzwischen die Baguette-Brötchen in Scheiben schneiden. Das Knoblauchöl in einer Pfanne erhitzen und die Brötchenscheiben darin goldbraun rösten. Die Olivenmasse mit dem Brot auf Tellern anrichten und servieren.

CHILI-GURKEN-CHUTNEY

Zubereitungszeit: ca. 20 Minuten (plus Zeit zum Ziehen)
Für 4 Portionen

1 kg Schmorgurken
250 g Schalotten
20 g frische Ingwerknolle
1/4 Bund Dill
3 rote Chilis
200 ml Weißweinessig
400 g Zucker
1 El Senfkörner
Salz
Pfeffer aus der Mühle
1 kleines Baguette
3 El Olivenöl

Die Gurken waschen und schälen. Anschließend halbieren, der Länge nach durchschneiden und die Kerne mit einem Teelöffel herausschaben.

Die Gurkenhälften längs halbieren und in Streifen schneiden. Die Schalotten schälen und in Würfel schneiden. Den Ingwer schälen und reiben.

Den Dill waschen, trocknen und fein hacken. Die Chilischoten waschen, trocknen, halbieren, die Kerne entfernen und in Streifen schneiden.

200 ml Wasser mit dem Essig in einem Topf aufkochen lassen. Die Chilis, den Zucker und die Senfkörner dazugeben. Gurken, Schalotten, Ingwer und Dill zufügen und alles ca. 3 Minuten köcheln lassen. Das Ganze anschließend erkalten und ca. 2 Stunden durchziehen lassen.

Das Baguette in Scheiben schneiden. Das Öl in einer Pfanne erhitzen und die Baguettescheiben darin goldbraun rösten. Das Chutney in Schälchen füllen und dazuservieren.

LINSEN-SALAT

Zubereitungszeit: ca. 20 Minuten
Für 4 Portionen

2 Zwiebeln
1 Bund Frühlingszwiebeln
100 g geröstete Erdnüsse
1/2 Bund Brunnenkresse
100 g Couscous
3 El Sesamöl
200 g rote Linsen
Salz
Zucker
3 El Weißweinessig
1 El Sojasauce
250 ml Gemüsebrühe

Die Zwiebeln schälen und in Würfel schneiden. Die Frühlingszwiebeln putzen, waschen und in Ringe schneiden.

Die Erdnüsse grob hacken. Brunnenkresse waschen, trocknen und die einzelnen Blättchen abzupfen. Couscous nach Packungsanweisung zubereiten.

Das Öl im Wok erhitzen und Zwiebeln, Frühlingszwiebeln und Nüsse darin andünsten. Die Linsen dazugeben und das Ganze mit Salz, Zucker, Weißweinessig und Sojasauce abschmecken.

Die Gemüsebrühe angießen und alles bei milder Hitze ca. 4 Minuten ziehen lassen.

Das Couscous und die Brunnenkresse unterrühren, alles auf Tellern anrichten und lauwarm mit etwas Brunnenkresse garniert servieren.

SÜSS-SAURES GEMÜSE

Zubereitungszeit: ca. 15 Minuten
Für 4 Portionen

Je 2 rote, gelbe und grüne Paprikaschoten
4 Tomaten
6 Knoblauchzehen
1/2 Bund Petersilie
3 El Erdnussöl
4 El Reiswein
4 El Sojasauce
1 El Zucker
Anis-, Koriander- und Ingwerpulver

Die Paprikaschoten waschen, putzen, entkernen und in dünne Streifen schneiden.

Die Tomaten kreuzweise einschneiden, kurz in kochendes Wasser tauchen, abschrecken, häuten und in Spalten schneiden. Die Knoblauchzehen schälen und durchpressen.

Die Petersilie waschen, trocknen und fein hacken. Das Öl im Wok erhitzen und das Gemüse darin andünsten.

Den Reiswein und die Sojasauce angießen. Kurz ziehen lassen und alles mit Zucker, Anis-, Koriander- und Ingwerpulver abschmecken. Alles auf Tellern anrichten und servieren.

SUPPEN & EINTÖPFE

Gutes aus einem Topf: Suppen und Eintöpfe sind das ideale Gericht für den Abend, denn sie lassen sich problemlos vorbereiten und schnell servieren.

RETTICHSUPPE

Zubereitungszeit: ca. 25 Minuten
Für 4 Portionen

400 g Rettich
1 Bund Radieschen mit Blättern
3 El Sesamöl
3 El Chilisauce
1 l Gemüsefond
Salz
Cayennepfeffer
Senfpulver
Knoblauchpulver
250 g Crabmeat aus der Dose
100 ml Sahne

Den Rettich waschen, schälen und in Streifen schneiden. Die Radieschen waschen und in Stifte schneiden.

Die Hälfte der Radieschenblätter waschen und klein schneiden.

Das Öl in einem Topf erhitzen und den Rettich und die Radieschenblätter darin andünsten.

Die Chilisauce unterrühren und alles mit dem Gemüsefond angießen. Ca. 7 Minuten köcheln lassen. Mit Salz, Pfeffer, Senf- und Knoblauchpulver würzen.

Das Crabmeat unterrühren und darin erwärmen. Die Sahne dazugeben und servieren.

KREOLISCHER KÜRBISTOPF

Zubereitungszeit: ca. 25 Minuten
Für 4 Portionen

500 g eingelegter Kürbis aus dem Glas
2 Zwiebeln
1 Möhre
2 grüne Peperoni
1 Knoblauchzehe
2 El Öl
1 l Rinderfond
1 Msp. Kreuzkümmelpulver
1 Msp. Korianderpulver
1 Msp. Ingwerpulver
3 El Hot Salsa (FP)
2 Thymianzweige
1/4 Bund Petersilie
100 ml Sahne
2 El Crème fraîche

Den Kürbis in einem Sieb abtropfen lassen. Die Zwiebeln schälen und in Würfel schneiden. Die Möhre waschen, schälen und in Scheiben schneiden.

Die Peperoni waschen, halbieren, die Kerne entfernen und in Streifen schneiden. Die Knoblauchzehe schälen und fein hacken.

Das Öl in einem Topf erhitzen und den Kürbis mit dem restlichen Gemüse und dem Knoblauch darin andünsten.

Alles mit dem Rinderfond angießen und mit den Gewürzen und der Hot Salsa kräftig abschmecken. Ca. 8 Minuten köcheln lassen.

Inzwischen den Thymian und die Petersilie waschen und trocknen. Vom Thymian die einzelnen Blättchen abzupfen. Die Petersilie fein hacken.

Die Suppe mit dem Schneidstab des Handrührgerätes pürieren. Die Sahne, die Crème fraîche und die Kräuter unterrühren und alles noch einmal mit den Gewürzen abschmecken.

MUSCHEL-SUPPE

Zubereitungszeit: ca. 20 Minuten (plus Zeit zum Marinieren)
Für 4 Portionen

- *600 g Herz- oder Venusmuscheln aus dem Glas*
- *3 El Knoblauchöl*
- *3 El Sherry-Essig*
- *4 Knoblauchzehen*
- *3 El scharfe Paprikapaste*
- *1 El grob geschroteter Pfeffer*
- *600 ml Fischfond*
- *Salz, Pfeffer*
- *2 Eigelb*
- *1 Chilischote*
- *1/4 Bund Petersilie*
- *1 El Krebsbutter*

Die Muscheln in einem Sieb abtropfen lassen. Das Öl mit dem Essig verrühren. Die Knoblauchzehen schälen und dazupressen.

Die Paprikapaste und den Pfeffer dazugeben. Die Muscheln in dieser Marinade ca. 40 Minuten ziehen lassen.

Den Fischfond in einem Topf erhitzen. Die Muscheln mit der Marinade in den Fond geben. Alles bei geringer Hitze 6 Minuten ziehen lassen.

Die Suppe dann mit Salz und Pfeffer abschmecken. Das Eigelb in einer Schüssel verrühren und in die Suppe gleiten lassen. Die Chilischote waschen, trocknen, fein hacken und unter die Suppe rühren.

Die Petersilie waschen, trocknen und fein hacken. Die Suppe mit der Krebsbutter verfeinern. Dann in Teller füllen und mit der Petersilie garniert servieren.

BOHNEN-SUPPE

Zubereitungszeit: ca. 20 Minuten
Für 4 Portionen

600 g grüne Bohnen
1 Bund Basilikum
2 El Erdnussöl
100 g Bacon bits
150 g Tomatenstücke (FP)
3 El Sojasauce
2 El Hoisin-Sauce
750 ml Gemüsebrühe
2 Knoblauchzehen
Salz, Pfeffer
Kreuzkümmelpulver

Die Bohnen unter fließendem kalten Wasser waschen, von den Stielen befreien und halbieren.

Das Basilikum waschen, trocknen und in Streifen schneiden. Das Öl im Wok erhitzen und den Bacon darin auslassen.

Die Bohnen, das Basilikum und die Tomatenstücke dazugeben.

Alles mit Sojasauce und Hoisin-Sauce abschmecken. Nach ca. 4 Minuten alles mit der Gemüsebrühe angießen.

Die Knoblauchzehen schälen und dazupressen. Das Ganze bei milder Hitze ca. 5 Minuten ziehen lassen.

Vor dem Servieren alles mit Salz, Pfeffer und Kreuzkümmelpulver abschmecken.

GEMÜSE-CURRY

Zubereitungszeit: ca. 20 Minuten
Für 4 Portionen

- *2 rote Paprikaschoten*
- *1 Bund Frühlingszwiebeln*
- *280 g Bambussprossen aus der Dose*
- *200 g Wasserkastanien*
- *5–6 El Sesamöl*
- *600 g Chinesisches Pfannengemüse (FP)*
- *250 ml Gemüsebrühe*
- *3–4 El Currypulver*
- *1/2 Bund Koriandergrün zum Garnieren*

Die Paprikaschoten waschen, putzen, entkernen und in Streifen schneiden.

Die Frühlingszwiebeln putzen, waschen und in Ringe schneiden. Die Bambussprossen und die Kastanien auf ein Sieb geben und gut abtropfen lassen.

Das Öl im Wok erhitzen und das geputzte Gemüse zusammen mit dem Pfannengemüse unter Rühren ca. 4–5 Minuten anbraten.

Die Brühe dazugießen und alles ca. 8–10 Minuten schmoren lassen. Das Currypulver einrühren und das Gemüse-Curry mit Koriandergrün garniert servieren.

HÜHNERSUPPE

Zubereitungszeit: ca. 30 Minuten
(plus Zeit zum Marinieren)
Für 4 Portionen

- *3 Chilischoten*
- *1 frisches Stück Ingwer (2 cm)*
- *4 Knoblauchzehen*
- *1/2 Tl Kreuzkümmelpulver*
- *1/2 Tl Kurkuma*
- *3 El Knoblauchöl*
- *2 große Hühnerkeulen mit Haut*
- *3 El Öl*
- *1 Bund Frühlingszwiebeln*
- *1 Zimtstange (2 cm)*
- *3 Sternanis*
- *4 Kardamomkapseln*
- *3 Nelken*
- *1 l Asiafond*
- *200 ml Kokosmilch*
- *2 Stängel Zitronengras*
- *50 g Mie-Nudeln*
- *1 Bund Koriander*

Die Chilischoten waschen, längs halbieren, entkernen und fein hacken. Den Ingwer schälen und fein reiben.

Die Knoblauchzehen schälen und durchpressen. Alles mit Kreuzkümmelpulver, Kurkuma und Öl verrühren.

Die Hühnerkeulen waschen, trocknen und in der Marinade ca. 3 Stunden ziehen lassen. Anschließend die Keulen mit der Marinade im heißen Öl anbraten.

Die Frühlingszwiebeln putzen, waschen, in Stücke schneiden und mit Zimt, Sternanis, Kardamomkapseln und Nelken zum Fleisch geben.

Das Ganze mit dem Asiafond und der Kokosmilch angießen. Das Zitronengras putzen, waschen, knoten und dazugeben. Alles bei milder Hitze ca. 15 Minuten ziehen lassen.

Inzwischen die Mie-Nudeln in etwas heißem Salzwasser ca. 3 Minuten einweichen. Den Koriander waschen, trocknen und die Blättchen abzupfen.

Die Keulen aus der Suppe nehmen, kurz abkühlen lassen und das Fleisch von den Knochen schneiden. Das Fleisch und die abgegossenen Nudeln in die Suppe geben und alles mit Korianderblättchen garniert servieren.

KOKOSSUPPE

Zubereitungszeit: ca. 25 Minuten
Für 4 Portionen

- *600 g Entenbrustfilet ohne Haut*
- *3 Knoblauchzehen*
- *2 Schalotten, 100 g Austernpilze*
- *100 g Schlangenbohnen*
- *1 frisches Stück Ingwer (3 cm)*
- *1 frisches Stück Korianderwurzel (3 cm)*
- *2 Kaffir-Limonen, 1 Limette*
- *1 rote Peperoni*
- *3 El Erdnussöl*
- *400 ml Asiafond*
- *500 ml Kokosmilch*
- *1 El grüne Currypaste (FP)*
- *Thai-Basilikum zum Garnieren*

Das Fleisch waschen, trocknen und in Streifen schneiden. Die Knoblauchzehen schälen und fein hacken. Die Schalotten schälen und in Würfel schneiden. Die Austernpilze putzen, waschen und falls nötig in Stücke schneiden.

Die Bohnen waschen, trocknen und klein schneiden. Den Ingwer schälen und reiben. Die Korianderwurzel schälen und in Scheiben schneiden.

Die Kaffir-Limonen schälen und die Schale fein hacken. Die Limette so schälen, dass die weiße Haut entfernt wird. Die einzelnen Filets herausschneiden. Die Peperoni waschen, längs halbieren, entkernen und in Streifen schneiden.

Das Öl in einem Wok erhitzen und das Fleisch mit dem Knoblauch und den Schalotten darin anbraten. Nach ca. 4 Minuten die Pilze und die Bohnen dazugeben. Ingwer, Korianderwurzel, Kaffir-Limone, Limettenfilets und Peperoni dazugeben und alles kurz braten.

Asiafond, Kokosmilch und ca. 300 ml Wasser angießen und alles bei milder Hitze ca. 6 Minuten ziehen lassen. Das Ganze mit der Currypaste abschmecken. Das Thai-Basilikum waschen, trocknen und die Blättchen abzupfen. Die Suppe in Schälchen anrichten und mit Basilikum garniert servieren.

AVOCADO-SUPPE

Zubereitungszeit: ca. 25 Minuten
Für 4 Portionen

400 g Hähnchenbrustfilet	
125 ml Madeira	
1 l Geflügelfond	
6 Knoblauchzehen	
3 rote Chilischoten	
2 Avocados	
2 El Zitronensaft	
1 Bund Koriandergrün	
Salz	
Pfeffer	
Schmand zum Garnieren	

Die Hähnchenbrustfilets waschen, trocknen und in Streifen schneiden. Mit dem Madeira beträufeln.

Den Fond kurz aufkochen lassen und das Fleisch darin ca. 5 Minuten bei milder Hitze ziehen lassen. In der Zwischenzeit die Knoblauchzehen schälen und fein hacken.

Die Chilischoten waschen, längs halbieren, entkernen und in Streifen schneiden. Knoblauch und Chilischoten in die Brühe geben und ca. 5 Minuten ziehen lassen.

Die Avocados halbieren, entkernen, schälen und in Scheiben schneiden. Mit dem Zitronensaft beträufeln. Koriander waschen, trocknen und die Blättchen abzupfen.

Die Avocadoscheiben in die Suppe geben und so lange ziehen lassen, bis die Scheiben oben schwimmen.

Mit Salz und Pfeffer würzen. Alles mit Koriander bestreuen und eventuell mit einem Klecks Schmand garnieren.

KRESSE-TOPF

Zubereitungszeit: ca. 25 Minuten
Für 4 Portionen

200 g Schweinefilet	
3 El Sojasauce	
2 El Fünf-Gewürze-Pulver	
2 El Sesamöl	
2 El eingelegter Ingwer	
Je 500 ml Asia- und Gemüsefond	
250 ml Reiswein	
350 g Brunnenkresse	
3 Eier	

Das Schweinefilet waschen, trocknen und in Würfel schneiden. Die Sojasauce mit dem Fünf-Gewürze-Pulver mischen und das Fleisch damit einreiben.

Das Öl erhitzen und die Fleischwürfel darin ca. 5 Minuten braten. Den Ingwer dazugeben und weitere 4 Minuten braten.

Anschließend den Fond und den Reiswein angießen. Die Brunnenkresse waschen, trocknen, fein hacken und dazugeben.

Die Suppe ca. 8 Minuten bei milder Hitze ziehen lassen. Die Eier verquirlen, in die heiße, aber nicht mehr kochende Suppe geben und stocken lassen. Dann vorsichtig umrühren.

Die Suppe auf Tellern anrichten und servieren.

BIER-WURST-SUPPE

Zubereitungszeit: ca. 20 Minuten
Für 4 Portionen

4 Laugenstangen
8 Scheiben Bauernbrot
500 ml Bockbier
400 g Zungenwurst
2 Zwiebeln
2 Knoblauchzehen
2 El Butterschmalz
1 El geriebener Majoran
1 l Rinderfond
500 ml Gemüsebrühe
1 Tl Kümmelkörnchen
150 g Sauerkraut
Salz
Pfeffer
200 g Schmand

Die Laugenstangen und das Brot in kleine Würfel schneiden. In eine Schüssel geben und mit dem Bier begießen. Ca. 10 Minuten ziehen lassen.

Inzwischen die Zungenwurst in Würfel schneiden. Die Zwiebeln schälen und ebenfalls würfeln. Die Knoblauchzehen schälen und fein hacken.

Butterschmalz erhitzen und die Wurst mit den Zwiebeln und dem Knoblauch darin andünsten. Majoran unterrühren und ca. 3 Minuten braten.

Das Brot mit einer Gabel zerdrücken. Den Fond erhitzen und das Brot dazugeben. Die Kümmelkörnchen, das ausgedrückte Sauerkraut und die Wurstpfanne unterrühren. Mit Salz und Pfeffer würzen und alles ca. 8 Minuten bei milder Hitze ziehen lassen. Alles in Suppentassen füllen und mit einem Klecks Schmand und einigen Kräutern garniert servieren.

VEGETARISCHE GERICHTE

Fleischlos glücklich: Hier erhält Ihre Abendküche eine gesunde Alternative. Probieren Sie unsere Gerichte ohne Fleisch, und erleben Sie, wie vielfältig vegetarische Kost sein kann.

CURRYNUDELN

Zubereitungszeit: ca. 15 Minuten
Für 4 Portionen

300 g Muschelnudeln
Salz
2–3 El Chiliöl
1 El scharfes Currypulver
1 Mango
2–3 getrocknete Chilis
3 Frühlingszwiebeln
1/2 Tl Zitronenpfeffer
250 ml Gemüsebrühe
1/4 Bund Koriandergrün
2–3 El Cashewkerne

Die Nudeln in kochendem Salzwasser bissfest garen. Anschließend abgießen, mit kaltem Wasser abschrecken und gut abtropfen lassen.

Inzwischen das Chiliöl erhitzen und das Currypulver darin anrösten. Die Mango schälen, vom Kern lösen und das Fruchtfleisch in Würfel schneiden.

Die Chilischoten im Mörser zerdrücken. Die Frühlingszwiebeln putzen, waschen und in Ringe schneiden.

Frühlingszwiebeln zusammen mit den Chilischoten und den Mangowürfeln zu dem angeschwitzten Currypulver geben.

Alles zusammen kurz anrösten und mit dem gemahlenen Zitronenpfeffer würzen. Die Gemüsebrühe dazugießen und einmal kurz aufkochen.

Das Koriandergrün waschen, trocken schleudern und fein hacken. Die Cashewkerne ebenfalls fein hacken.

Beides zu der Currymasse geben. Die fertigen Nudeln darin wieder erwärmen, anschließend auf Tellern anrichten.

LETSCHO

Zubereitungszeit: ca. 20 Minuten
Für 4 Portionen

- *2 Gemüsezwiebeln*
- *2 Knoblauchzehen*
- *2 El Olivenöl*
- *Je 2 grüne, gelbe und rote Paprikaschoten*
- *2 El Weißwein*
- *1/8 l Gemüsebrühe*
- *Salz*
- *Pfeffer*
- *2 Tl Rosenpaprikapulver*
- *2 Tl gemahlene Chilis*
- *2 Fleischtomaten*
- *1 Tl Speisestärke*

Die Zwiebeln schälen und in grobe Würfel schneiden. Den Knoblauch schälen und fein zerdrücken. Das Olivenöl erhitzen und darin die Zwiebelwürfel mit dem Knoblauch glasig anschwitzen.

Die Paprikaschoten waschen, halbieren, den Strunk und die Kerne entfernen und in ca. 2 cm große Würfel schneiden. Die Paprikawürfel zu der Zwiebel-Knoblauch-Mischung geben und kurz mit andünsten.

Mit Wein und Brühe ablöschen, mit den Gewürzen abschmecken und zugedeckt bei milder Hitze ca. 10 Minuten garen.

Die Tomaten kreuzweise einritzen, kurz in kochendes Wasser tauchen, mit kaltem Wasser abschrecken und die Haut abziehen. Die Tomaten halbieren, die Kerne entfernen und das Tomatenfleisch in Würfel schneiden.

Die Speisestärke mit etwas kaltem Wasser anrühren. Die Tomatenwürfel zu dem Gemüse geben und alles mit der Speisestärke leicht andicken.

GEMÜSE-PFANNE

Zubereitungszeit: ca. 25 Minuten
Für 4 Portionen

2 rote Chilis
6–7 Pecannüsse
4–5 Frühlingszwiebeln
1–2 El Fünf-Gewürze-Pulver
1 Salatgurke
6 Möhren
2 grüne Chilis
1 Stück frischer Ingwer
5 Knoblauchzehen
3 El Walnussöl
2 El Zucker
3 El Reiswein-Essig

Die roten Chilischoten waschen, halbieren, entkernen und anschließend mit den Nüssen in einen Mixer geben. Die Frühlingszwiebeln putzen, waschen und die Hälfte grob zerkleinern. Mit dem Fünf-Gewürze-Pulver zu den anderen Zutaten in den Mixer geben. Alles fein pürieren.

Die Gurke waschen und trocknen. Die Möhren schälen und zusammen mit der Gurke in ca. 3 cm lange Stifte schneiden. Die restlichen Frühlingszwiebeln in Ringe schneiden.

Die grünen Chilischoten waschen und in Streifen schneiden. Den Ingwer würfeln. Den Knoblauch schälen und in Scheiben schneiden. Das Öl erhitzen und das Würzpüree mit den Chilis, dem Ingwer und dem Knoblauch anrösten.

Den Zucker und den Essig zufügen und zu einer dicklichen Sauce einkochen lassen. Das Gemüse hineingeben und ca. 5 Minuten darin schmoren.

SZECHUAN-GURKE

Zubereitungszeit: ca. 25 Minuten
Für 4 Portionen

150 g Bulgur
2 mittelgroße Salatgurken
1 Bund Frühlingszwiebeln
1 Stück frischer Ingwer (4 cm)
2 Knoblauchzehen
1 rote Chilischote
3–4 El Sesamöl
1 El Rohrzucker
2–3 El Sojasauce
1–2 Tl Szechuan-Gewürz (FP)
1 El Chiliöl

Den Bulgur laut Packungsanweisung zubereiten.

Die Gurken waschen, halbieren, die Kerne entfernen und schräg in Scheiben schneiden. Die Frühlingszwiebeln putzen und in feine Röllchen schneiden.

Den Ingwer und die Knoblauchzehen schälen und fein hacken. Die Chilischote waschen, entkernen und in feine Würfel schneiden.

Das Öl erhitzen und das Gemüse darin unter Rühren ca. 6–7 Minuten braten. Den Zucker, die Sojasauce und das Gewürz dazugeben. Das Chiliöl ebenfalls dazugeben. Alles weitere 6–8 Minuten köcheln lassen.

Den fertigen Bulgur vorsichtig mit den anderen Zutaten im Wok mischen, anrichten und in Schälchen servieren.

SPROSSEN MIT ORANGEN

Zubereitungszeit: ca. 15 Minuten
Für 4 Portionen

250 g Sojabohnenkeime
250 g Mixed Pickles aus dem Glas
3–4 El Sesamöl
2–3 Orangen
250 g geräucherter Tofu
Salz
Pfeffer aus der Mühle
4 El Sojasauce
1 Beet Kresse

Die Sojabohnenkeime unter fließendem kalten Wasser kurz abbrausen. Auf ein Sieb geben und gut abtropfen lassen. Die Mixed Pickles ebenfalls gut abtropfen lassen.

Das Öl im Wok erhitzen und das Gemüse darin unter Rühren kurz anbraten. Die Orangen so schälen, dass die weiße Haut entfernt wird. Mit einem scharfen Messer die Filets herauslösen und in kleine Stücke schneiden.

Den Tofu in Würfel schneiden. Tofu und Orangenfilets zum Gemüse geben und alles mit Salz, Pfeffer und Sojasauce würzen. Das Ganze ca. 2 Minuten schmoren lassen.

Die Kresse waschen, trocknen und vom Beet abschneiden. Alles in Schälchen anrichten und mit Kresse garniert servieren.

ASIATISCHES GEMÜSE

Zubereitungszeit: ca. 20 Minuten
Für 4 Portionen

100 g Chinakohl	
125 g Möhren	
125 g frische Shiitake-Pilze	
125 g Zuckerschoten	
50 g Ingwer	
2 Knoblauchzehen	
2 rote Chilischoten	
100 g eingelegte Bambussprossen	
4 El Sonnenblumenöl	
150 g Ananasstücke aus der Dose	
4 El Reisessig	
4 El helle Sojasauce	
4 El Sherry	
2 El Zucker	
200 ml Gemüsebrühe	
1 Tl Maisstärke	

Den Chinakohl waschen, trocknen und die Blätter der Länge nach halbieren. Anschließend in 2 cm breite Streifen schneiden. Die Möhren schälen und in dünne Scheiben schneiden. Die Pilze mit Küchenpapier abreiben und halbieren. Die Zuckerschoten waschen und halbieren.

Ingwer schälen und in sehr feine Scheiben schneiden. Den Knoblauch schälen und fein hacken. Chilischoten waschen, entkernen und in Streifen schneiden. Die Bambussprossen in einem Sieb abtropfen lassen.

Das Öl im Wok erhitzen und die Möhren mit den Pilzen, den Zuckerschoten und dem Chinakohl darin anbraten. Ingwer, Knoblauch und Chili zufügen, kurz mitbraten.

Bambussprossen, Ananasstücke, Essig, Sojasauce, Sherry und Zucker dazugeben. Mit 3/4 der Brühe angießen und vermischen.

Die Stärke mit der restlichen kalten Brühe anrühren, über das Gemüse gießen und sofort untermischen. 4 Minuten köcheln lassen. Das Ganze in Schälchen anrichten und servieren.

RÜHREI MIT PILZEN

Zubereitungszeit: ca. 20 Minuten (plus Zeit zum Quellen)
Für 4 Portionen

- *3 getrocknete Morcheln*
- *3 getrocknete Shiitake-Pilze*
- *1 rote Chilischote*
- *10 g Ingwer*
- *2 Frühlingszwiebeln*
- *2 Stiele Koriander*
- *4 Eier*
- *2 Tl Sojasauce*
- *Pfeffer*
- *1 Tl Erdnussöl*
- *2 El Sonnenblumenöl*

Die getrockneten Pilze in eine Schüssel geben und mit so viel heißem Wasser übergießen, dass sie damit gut bedeckt sind. Alles ca. 15 Minuten quellen lassen.

Die Chilischote waschen, entkernen und in dünne Streifen schneiden. Den Ingwer schälen und sehr fein hacken. Die Frühlingszwiebeln putzen, waschen und in Ringe schneiden. Den Koriander waschen, trocknen und die Blättchen abzupfen.

Die Pilze in einem Sieb abtropfen lassen und in Stücke schneiden. Die Eier verquirlen und Sojasauce, Pfeffer und Erdnussöl unterrühren.

Den Wok erhitzen und das Sonnenblumenöl hineingeben. Die Pilze darin kurz anbraten. Die restlichen Zutaten bis auf die Eier und den Koriander dazugeben. Die Eimasse hineingießen und so lange garen, bis sie stockt. Die Masse jeweils an den Rand schieben. Das Rührei auf Tellern oder in Schälchen anrichten und mit dem Koriandergrün bestreut servieren.

GEBACKENE ENDIVIEN

Zubereitungszeit: ca. 30 Minuten
Für 4 Portionen

500 g Endivien, 8 Eiweiß, 2 Eigelb
Salz, 2 El Mehl, 1 El Maisstärke
Erdnussöl zum Ausbacken
100 ml Orangensaft
1 El Erdnussöl, 1 El Paprikapulver
1 Tl Chilipulver
20 g Korianderblättchen
100 ml helle Sojasauce
1 El Fünf-Gewürze-Pulver
2–3 El Rohrzucker
100 ml Himbeeressig
1 Tl Sesamöl, 1 Tl Zucker
1/4 Bund Frühlingszwiebeln

Die Endivien putzen, unter fließendem Wasser waschen und gut abtropfen lassen. Die Endivienblätter trocknen und in ca. 5 cm lange Stücke schneiden. Das Eiweiß steif schlagen. Das Eigelb verquirlen und unter den Eischnee heben. Salz, Mehl und Maisstärke unterheben. Die Endivienblätter durch den Eierteig ziehen und in heißem Erdnussöl goldbraun ausfrittieren.

Für die erste Sauce den Orangensaft erhitzen, vom Herd nehmen und Erdnussöl, Paprikapulver, Chilipulver und Korianderblättchen einrühren.

Für die zweite Sauce die Sojasauce erwärmen und das Gewürzpulver mit dem Zucker dazugeben. So lange unter Rühren erhitzen, bis sich der Zucker gelöst hat.

Für die dritte Sauce den Essig mit Sesamöl, Zucker und etwas Salz verrühren. Die Frühlingszwiebeln putzen, waschen, fein hacken und unter die Sauce rühren.
Die drei Saucen mit den Endivien anrichten und servieren.

KARTOFFEL-VARIATIONEN

Zubereitungszeit: ca. 30 Minuten
Für 4 Portionen

400 g gekochte Kartoffeln
2 Eigelb
40 g geriebene Haselnüsse
Salz
Pfeffer
Paprikapulver
Öl zum Frittieren
1 kg längliche Kartoffeln

Die gekochten Kartoffeln durch die Kartoffelpresse drücken und mit dem Eigelb und den Haselnussblättchen mischen.

Mit Salz, Pfeffer und Paprikapulver abschmecken. Das Öl in einer Fritteuse erhitzen.

Aus der Masse Bällchen formen und diese in heißem Öl goldbraun backen.

Inzwischen die länglichen Kartoffeln gut waschen, trocknen und mit dem Rettichschneider Spiralen daraus schneiden.

Im heißen Öl goldbraun ausbacken. Anschließend mit Salz und Paprikapulver würzen. Dazu passt ein bunter Salat.

GEFÜLLTE KOHLRABI

Zubereitungszeit: ca. 25 Minuten
Für 4 Portionen

- *4 mittelgroße Kohlrabi*
- *500 ml Gemüsebrühe*
- *2 Scheiben Toastbrot*
- *4 Tomaten*
- *30 g Mandelblättchen*
- *125 ml Sahne*
- *Salz*
- *Pfeffer*
- *1 El Butter*
- *1 El Semmelbrösel*

Die Kohlrabi schälen und in der Gemüsebrühe ca. 10 Minuten garen.

Inzwischen das Toastbrot entrinden und würfeln. Die Tomaten waschen, halbieren, entkernen und ebenfalls in Würfel schneiden. Mit den Mandelblättchen und den Toastwürfeln vermengen.

Die Sahne dazugeben und alles mit Salz und Pfeffer würzen. Den Backofen auf 180 °C vorheizen. Die Kohlrabi abtropfen lassen und jeweils einen Deckel abschneiden.

Von innen bis auf einen Rand von ca. 1 cm aushöhlen. Das Kohlrabifleisch in Würfel schneiden und mit der Sahne-Tomaten-Mischung verrühren.

Alles in die Kohlrabi füllen. Die Butter und die Semmelbrösel darauf verteilen. Alles im Backofen auf der mittleren Einschubleiste ca. 10 Minuten backen.

LAUCH-REIS-SCHÜSSEL

Zubereitungszeit: ca. 20 Minuten
Für 4 Portionen

- *250 g Wildreismischung*
- *750 ml Gemüsefond*
- *500 g junger Lauch*
- *2 El Butterschmalz*
- *100 g geschälte Tomaten aus der Dose*
- *Salz*
- *Pfeffer*
- *100 g gehackte Haselnüsse*

Die Reismischung nach Packungsanweisung in 500 ml Gemüsefond zubereiten.

In der Zwischenzeit den Lauch waschen, trocknen und in Ringe schneiden.

Butterschmalz erhitzen und den Lauch darin andünsten. Die Tomaten mit Flüssigkeit dazugeben und alles mit Salz und Pfeffer würzen. Weitere 3 Minuten schmoren lassen.

Den restlichen Fond angießen und den Reis dazugeben. Noch einmal mit Salz und Pfeffer würzen.

Auf Tellern anrichten und mit den gehackten Haselnüssen bestreut servieren.

SPANISCHES OMELETT

Zubereitungszeit: ca. 20 Minuten
Für 4 Portionen

- *1 Bund Frühlingszwiebeln*
- *Je 2 rote und grüne Paprikaschoten*
- *4 Knoblauchzehen*
- *300 g Tomatenpüree (FP)*
- *Je 1/2 Bund Oregano und Basilikum*
- *4 El Butterschmalz*
- *Salz*
- *Pfeffer*
- *Paprikapulver*
- *8 Eier*

Die Frühlingszwiebeln putzen, waschen und in Ringe schneiden. Die Paprikaschoten waschen, halbieren, entkernen und in Würfel schneiden.

Die Knoblauchzehen schälen und fein hacken. Alles mit dem Tomatenpüree verrühren.

Die Kräuter waschen, trocknen, fein hacken und ebenfalls unterrühren. Butterschmalz erhitzen und die Tomatenmasse darin anbraten. Mit Salz und Pfeffer würzen.

Die Eier verquirlen und über die Tomaten geben. Ca. 4 Minuten stocken lassen.

Alles auf Tellern anrichten und mit geröstetem Toastbrot servieren.

HAUPTGERICHTE MIT GEFLÜGEL, FLEISCH & WILD

Internationale Geflügelgenüsse und abwechslungsreiche Fleisch- und Wildgerichte:
Zaubern Sie mit unseren Gerichten höchste Genüsse und setzen Ihrer Küche die Krone auf.

HÄHNCHEN-KASSEROLLE

Zubereitungszeit: ca. 15 Minuten (plus Backzeit)
Für 4 Portionen

- *Je 125 ml Orangensaft und Geflügelfond*
- *5 Knoblauchzehen*
- *Je 1 Tl Kreuzkümmel-, Koriander-, Senf- und Ingwerpulver*
- *3 El Walnussöl*
- *4 Hähnchenbrustfilets*
- *Butter für die Form*
- *4 rote Zwiebeln*
- *Je 1 rote und grüne Chilischote*

Den Orangensaft und den Geflügelfond in einer Schüssel verrühren.

Die fein gehackten Knoblauchzehen mit den Gewürzen und dem Walnussöl verrühren.

Den Backofen auf 180 °C vorheizen. Die Hähnchenbrustfilets waschen und trocknen.

Eine ofenfeste Form mit Butter ausstreichen und die Hähnchenbrustfilets hineinlegen.

Den Fond über das Fleisch gießen. Die Zwiebeln schälen und in Ringe schneiden. Die Chilischoten waschen, längs halbieren, entkernen und in Streifen schneiden.

Beides über das Fleisch verteilen und alles im Backofen auf der mittleren Einschubleiste ca. 20 Minuten backen. Dazu Baguettebrote servieren.

PERLHUHNSTREIFEN

Zubereitungszeit: ca. 25 Minuten
Für 4 Portionen

800 g Perlhuhnbrustfilet
3 El Zitronensaft
Je 1/2 El Ingwer-, Nelken- und Anispulver
4 El Butter
3 Kiwis
250 g Papaya
2 Bananen
100 g Mandarinen aus der Dose
100 g Ananaswürfel aus der Dose
100 ml Rotwein
1 El Orangenschalenaroma
4 El Schmand

Die Perlhuhnbrustfilets waschen, trocknen und in Streifen schneiden.

Mit dem Zitronensaft beträufeln und mit dem Ingwer-, Nelken- und Anispulver bestreuen. Alles ca. 5 Minuten ziehen lassen.

Die Butter erhitzen und das Fleisch darin ca. 10 Minuten braten. Anschließend herausnehmen und warm stellen.

Inzwischen Kiwis, Papaya und Bananen schälen und in Scheiben schneiden.

Die Mandarinen und die Ananaswürfel in einem Sieb abtropfen lassen. Den Saft auffangen.

Das Obst zusammen mit je 2 El Mandarinen- und Ananassaft in dem Bratfond ca. 2 Minuten schmoren.

Den Rotwein angießen. Orangenschalenaroma und Schmand unterrühren und darin erwärmen. Das Obst portionsweise auf Teller verteilen und die Fleischstreifen darauf anrichten. Dazu passt Reis.

MINI-GEFLÜGEL-ROULADEN

Zubereitungszeit: ca. 30 Minuten
Für 4 Portionen

300 g Putenschnitzel
200 g Surimi (Krebsfleischimitat)
3 Scheiben gekochter Schinken
1/2 Bund Koriandergrün
1–2 El scharfer Senf
3–4 El Erdnussöl
Salz, Cayennepfeffer
Pimentpulver
125 ml Asiafond (FP)
3 Frühlingszwiebeln
2–3 El Mirin (süßer Reiswein)
2–3 El helle Sojasauce
1 Tl Maisstärke

Die Putenschnitzel waschen, trocknen, halbieren und das Fleisch klopfen, bis es schön dünn ist. Das Surimi und den gekochten Schinken fein hacken.

Das Koriandergrün waschen, trocknen und ebenfalls fein hacken. Anschließend mit dem Surimi und dem Schinken mischen.

Die Fleischscheiben mit Senf bestreichen und die Schinken-Krebs-Masse darauf streichen. Zusammenrollen und mit Hölzchen feststecken.

Das Öl im Wok erhitzen und die Rouladen darin von allen Seiten anbraten. Mit Salz, Cayennepfeffer und Pimentpulver würzen und den Fond angießen. Alles ca. 6–7 Minuten bei milder Hitze schmoren.

Die Frühlingszwiebeln putzen, waschen und in feine Ringe schneiden. Zusammen mit dem Mirin dazugeben und weitere 3–4 Minuten garen.

Die Sojasauce mit der Maisstärke verrühren und unter Rühren dazugeben. Die Rouladen mit der Sauce anrichten und servieren. Dazu passen Mie-Nudeln.

GESCHMORTE PUTENKEULE

Zubereitungszeit: ca. 30 Minuten
(plus Zeit zum Marinieren)
Für 4 Portionen

1 kg Putenkeule
4 El Tandoori-Paste
1 Bund Frühlingszwiebeln
2–3 El Erdnussöl
250 ml Geflügelfond
200 ml Kokosmilch
4 El Sojasauce
400 g Chinesische Gemüsepfanne (TK)
2 geröstete Noriblätter (FP)

Das Fleisch waschen, trocknen und in Würfel schneiden. Mit der Tandoori-Paste bestreichen und ca. 10 Minuten ziehen lassen.

Die Frühlingszwiebeln putzen, waschen, trocknen und in feine Ringe schneiden.

Das Öl im Wok erhitzen und das Fleisch darin von allen Seiten ca. 6–7 Minuten braten.

Den Geflügelfond und die Kokosmilch angießen und alles ca. 15 Minuten schmoren. Eventuell etwas Sojasauce angießen.

Kurz vor Ende der Garzeit das Gemüse und die Frühlingszwiebeln dazugeben und mitschmoren. Alles auf Tellern anrichten. Die Noriblätter zerbröseln und darüberstreuen. Dazu buntes Krupuk servieren.

ENTEN-BRUST

Zubereitungszeit: ca. 25 Minuten
Für 4 Portionen

- *4 Entenbrustfilets*
- *Salz*
- *Pfeffer*
- *Paprikapulver*
- *5 El Butterschmalz*
- *6 Gemüsezwiebeln*
- *2 El Olivenöl*
- *2 El Sherry-Essig*
- *Je 125 ml Ahornsirup und Sanddornpüree*

Die Entenbrustfilets waschen, trocknen und die Haut mit einem scharfen Messer mehrmals schräg einschneiden. Mit Salz, Pfeffer und Paprikapulver einreiben.

3 El Butterschmalz erhitzen und die Entenbrustfilets darin von beiden Seiten ca. 5 Minuten braten. In der Zwischenzeit die Zwiebeln schälen und würfeln.

Das Olivenöl und den Rest Butterschmalz erhitzen und die Zwiebeln darin ca. 5 Minuten dünsten. Essig, Ahornsirup und Sanddornpüree unterrühren. Mit Salz, Pfeffer und Paprikapulver abschmecken.

Anschließend mit dem Schneidstab des Handrührgerätes kurz pürieren.

Die Filets mit dem Zwiebelpüree auf Tellern anrichten und servieren. Dazu passen 5-Minuten-Knödel.

GEFÜLLTE PUTENCHOPS

Zubereitungszeit: ca. 20 Minuten
Für 4 Portionen

- *8 Putenchops (à 100 g)*
- *Salz*
- *Pfeffer*
- *2 El frisch geriebener Ingwer*
- *Je 8 Scheiben Kochschinken und Appenzeller Käse*
- *3 El Butterschmalz*

Die Putenchops waschen, trocknen und mit Salz und Pfeffer würzen.

Jeweils mit einem scharfen Messer eine Tasche in die Fleischstücke schneiden und auch von innen mit Salz und Pfeffer würzen.

Die Taschen mit dem Ingwer ausstreichen und mit jeweils einer Scheibe Kochschinken und Käse auslegen.

Alles mit Holzspießen fixieren. Butterschmalz erhitzen und das Fleisch darin von allen Seiten ca. 8 Minuten braten. Dazu einen gemischten Salat servieren.

KNUSPRIGE ENTE

Zubereitungszeit: ca. 20 Minuten
Für 4 Portionen

180–200 g Vollkornmehl
1 El Walnussöl
4–5 El Milch
2–3 Eier
Salz
125 ml Portwein
100 g Kokosraspeln
2 Baby-Ananas
800 g Entenbrustfilet
Erdnussöl zum Frittieren

Das Mehl mit Öl, Milch, Eiern, Salz, Portwein und Kokosraspeln zu einem glatten Teig verrühren.

Die Baby-Ananas schälen, vierteln und den Strunk entfernen.

Das Entenfilet waschen, trocknen und in Würfel schneiden. Ausreichend Erdnussöl im Wok erhitzen.

Die Fleischwürfel und die Ananasviertel durch den Teig ziehen und portionsweise ca. 6–8 Minuten ausbacken.

Herausnehmen, auf Küchenpapier abtropfen lassen und warm halten. Dazu passen ein Chili- und ein Mayonnaise-Dip.

PUTENRAGOUT MIT KOKOS

Zubereitungszeit: ca. 15 Minuten
Für 4 Portionen

600 g Putenbrustfilet	
1 rote Paprikaschote	
250 g Frühlingszwiebeln	
1 Bund Basilikum	
400 ml ungesüßte Kokosmilch	
1 El rote Currypaste	
2 El Sojasauce	
1 El Zucker	

Das Putenbrustfilet waschen, trocknen und in Streifen schneiden. Die Paprikaschote waschen, halbieren, entkernen und in Streifen schneiden.

Die Frühlingszwiebeln putzen, waschen und in 5 cm lange Stücke schneiden. Das Basilikum waschen und trocknen. Die Blätter von den Stielen zupfen und davon die Hälfte fein hacken. Die restlichen Blätter zur Dekoration beiseitelegen.

Die Kokosmilch im Wok aufkochen, die Currypaste unterrühren und alles ca. 1 Minute köcheln lassen. Ab und zu umrühren.

Das vorbereitete Gemüse dazugeben und weitere 3 Minuten köcheln lassen. Gehacktes Basilikum, Sojasauce und Zucker dazugeben und abschmecken.

Das Putenragout auf Tellern anrichten und mit den restlichen Basilikumblättern garniert servieren. Gemüse anrichten und mit Fenchelgrün garniert servieren.

GEFLÜGELPÄCKCHEN

Zubereitungszeit: ca. 30 Minuten (plus Zeit zum Marinieren)
Für 4 Portionen

- *3 Schalotten, 2–3 Stängel Majoran*
- *200 g Geflügelleber*
- *300 g Wildentenbrust*
- *2 El Reiswein, 2 El Sojasauce*
- *100 g Rosinen*
- *1 Tl Zitronenpfeffer*
- *Je 1/2 Tl Nelken-, Anis- und Ingwerpulver*
- *3–4 El Sesamöl*
- *8–10 kleine Wirsingblätter*
- *500 ml Geflügelfond (FP)*
- *250 ml Portwein*
- *5 El Hühnerbrühe (FP)*
- *100 ml Mangosaft*
- *4 El Tomatenketchup*
- *1 Tl Chiliöl, Salz*
- *1 Tl Zucker, 1 El Maisstärke*

Die Schalotten schälen und fein würfeln. Den Majoran waschen, trocknen und die Blättchen von den Stielen zupfen.

Die Geflügelleber und die Wildentenbrust waschen, trocknen und in feine Würfel schneiden. Den Reiswein mit der Sojasauce, den Rosinen, dem Zitronenpfeffer und den Gewürzen mischen. Die Schalottenwürfel zusammen mit den Majoranblättchen und den Fleischwürfeln in die Marinade geben und ca. 10–15 Minuten ziehen lassen.

Das Öl im Wok erhitzen und die Mischung darin unter Rühren ca. 3–5 Minuten anbraten. Herausnehmen und leicht abkühlen lassen. Inzwischen die Wirsingblätter putzen, waschen, kurz in kochendem Wasser blanchieren, mit kaltem Wasser abschrecken, gut abtropfen lassen und auf einer Arbeitsfläche ausbreiten.

Die Fleisch-Gemüse-Mischung auf die Blätter verteilen und diese zu kleinen Päckchen zusammenfalten. Mit Küchengarn umwickeln und in einen Bambuskorb legen. Den Geflügelfond mit dem Portwein mischen und im Wok zum Kochen bringen. Den Bambuskorb einsetzen und die Wirsingpäckchen hineinlegen. Im Dampf ca. 10–15 Minuten garen.

In der Zwischenzeit die Hühnerbrühe mit Mangosaft, Ketchup, Öl, Salz, Zucker und Maisstärke verrühren. Die Mischung unter Rühren zum Kochen bringen. Die Geflügelpäckchen mit der Sauce anrichten und servieren.

ASIA-FILET

Zubereitungszeit: ca. 20 Minuten
Für 4 Portionen

750 g Schweinefilet	
50 g Ingwer	
4 Knoblauchzehen	
3 rote Chilischoten	
5 Tomaten	
2 El Sesamöl, 2 El Sonnenblumenöl	
1 Dose Ananaswürfel	
4 El Reisessig, 4 El Sojasauce	
4 cl Sherry, 2 El Zucker	
250 ml Geflügelbrühe	
2 Tl Maisstärke	

Das Fleisch waschen, trocknen und in gleichmäßige Streifen schneiden. Den Ingwer schälen und in sehr feine Scheiben schneiden. Den Knoblauch schälen und durchpressen.

Die Chilischoten waschen, halbieren, entkernen und in Streifen schneiden. Die Tomaten waschen, kreuzweise einschneiden, kurz in siedendes Wasser tauchen, abschrecken und schälen. Anschließend in Würfel schneiden. Sesam- und Sonnenblumenöl im Wok erhitzen und das Fleisch darin anbraten.

Ingwer, Knoblauch und Chilis dazugeben und mitbraten. Die Tomatenwürfel und die Ananasstücke ebenfalls unterrühren und kurz mitbraten. Essig, Sojasauce, Sherry und Zucker dazugeben. Mit 3/4 der Brühe angießen und alles ca. 3 Minuten ziehen lassen. Die Stärke mit der restlichen Brühe verrühren, alles gleichmäßig zum Fleisch geben. Weitere 3 Minuten ziehen lassen. Anschließend alles in Schälchen anrichten und servieren.

SCHMORSCHULTER

Zubereitungszeit: ca. 25 Minuten
Für 4 Portionen

650 g Schweineschulter
3–4 El Sesamöl
3 El Sherry-Essig
6 El Sojasauce
4 El Honig
1 El Fünf-Gewürze-Pulver
125–250 ml Kalbsfond (FP)
100 g Suppengrün (TK)
100 g eingelegte Perlzwiebeln
1 Tl Speisestärke
Mango-Chutney (FP) zum Anrichten

Das Fleisch waschen, trocknen und in kleine Stücke schneiden. Das Öl im Wok erhitzen und die Fleischstücke darin 4–5 Minuten anbraten.

Den Essig mit der Sojasauce, dem Honig, dem Gewürzpulver und dem Kalbsfond mischen. Alles zusammen mit dem Suppengrün und den Perlzwiebeln zum Fleisch geben und unter Rühren ca. 15 Minuten schmoren lassen.

Eventuell noch etwas Sojasauce angießen. Das Fleisch herausnehmen und warm stellen. Speisestärke mit etwas kaltem Wasser anrühren und Fond damit andicken. Das Gemüse zusammen mit dem Fleisch und dem Mango-Chutney anrichten und servieren.

REH SCHARF-SAUER

Zubereitungszeit: ca. 20 Minuten
(plus Zeit zum Marinieren)
Für 4 Portionen

- *600 g Rehgulasch*
- *3–4 El Himbeeressig*
- *4–5 El Rotwein*
- *1 Tl scharfer chinesischer Senf*
- *5–6 El Sesamöl*
- *Salz*
- *Pfeffer*
- *Nelken-, Anis- und Kardamompulver*
- *300 g Rote-Bete-Streifen aus dem Glas*
- *200 g rote Zwiebeln*

Das Gulasch eventuell in kleinere Würfel schneiden. Den Essig mit dem Rotwein, dem Senf, dem Öl und den Gewürzen verrühren.

Über das Fleisch geben und das Fleisch ca. 10–15 Minuten marinieren lassen.

Den Wok erhitzen und das Fleisch mit der Marinade darin ca. 10–15 Minuten unter Rühren braten.

Inzwischen die Rote Bete in ein Sieb geben und gut abtropfen lassen. Die Zwiebeln schälen und in Ringe schneiden.

Beides 5 Minuten vor Ende der Garzeit zu dem Gulasch geben. Das Gulasch zusammen mit Wildreis anrichten und servieren.

FILET „NEW ORLEANS"

Zubereitungszeit: ca. 20 Minuten (plus Zeit zum Marinieren)
Für 4 Portionen

2 Papayas
800 g Schweinefilet
1 El Paprikapulver
1 Tl getrockneter Thymian
Salz
Cayennepfeffer
3–4 El Zitronensaft
3–4 rote Chilis
1 rote Paprikaschote
1 Tl frisch geriebener Ingwer
1 Tl Zucker
4–5 El gewürztes Sesamöl

Die Papayas schälen, halbieren, die Kerne entfernen und die Früchte in Würfel schneiden. Die Schweinefilets waschen, trocknen und in ca. 2–3 cm dicke Scheiben schneiden.

Die Schweinefilets mit Paprikapulver, Thymian, Salz und Cayennepfeffer einreiben und im Kühlschrank 30–40 Minuten durchziehen lassen.

Den Zitronensaft auf die Papayawürfel träufeln. Chilischoten und Paprika waschen, halbieren und entkernen. Die Chilis in feine Streifen schneiden und die Paprika in feine Würfel schneiden.

Chilistreifen und Paprikawürfel zusammen mit dem Ingwer und dem Zucker zu den Papayawürfeln geben.

Das Ganze in 2–3 El Sesamöl ca. 3–4 Minuten dünsten. Das restliche Öl in einer zweiten Pfanne erhitzen und das Fleisch darin von beiden Seiten ca. 5–6 Minuten braten. Das Fleisch zusammen mit dem Obst-Gemüse-Mix anrichten und servieren.

PIKANTES KANINCHEN

Zubereitungszeit: ca. 15 Minuten (plus Garzeit)
Für 4 Portionen

2 Kaninchenrücken (ca. 1,5 kg)
Salz
Cayennepfeffer
Rosenpaprikapulver
3 El Öl
2 Gemüsezwiebeln
500 ml Sangrita (gewürzter Tomatensaft)
1–2 El Chilisauce
4 El Weißwein
1–2 El scharfer Senf
1 Bund Petersilie
1/4 Bund Oregano

Die Kaninchenrücken waschen, trocknen und in der Mitte quer teilen. Mit Salz, Cayennepfeffer und Rosenpaprika einreiben.

Das Öl erhitzen und das Fleisch darin rundherum braun anbraten. Herausnehmen und warm stellen. Die Zwiebeln schälen und in Ringe schneiden.

Die Zwiebelringe in dem verbliebenen Fett glasig dünsten. Das Fleisch wieder darauflegen und Sangrita, Chilisauce, Weißwein und Senf dazugeben. Das Ganze zugedeckt bei milder Hitze ca. 30 Minuten schmoren lassen.

Die Kräuter waschen, trocknen und fein hacken. Das Kaninchen mit den Kräutern bestreut servieren. Dazu Reis servieren.

DUBLIN CODDLE

Zubereitungszeit: ca. 15 Minuten (plus Garzeit)
Für 4 Portionen

8 Scheiben Bacon
Je 50 g weiße und rote Zwiebeln
600 g Knoblauchwurst
125 ml Rinderfond
5 El Altbier
Salz
Pfeffer
Pimentpulver
Je 1/4 Bund Petersilie und Zitronenmelisse

Den Bacon in einer Pfanne ohne Fett auslassen. Die Zwiebeln schälen und in Ringe schneiden.

Die Knoblauchwurst in Würfel schneiden. Die Zwiebeln und die Wurst zum Bacon geben und nach 4 Minuten alles mit dem Fond und dem Bier beträufeln.

Mit Salz, Pfeffer und Pimentpulver würzen. Die Petersilie und die Zitronenmelisse waschen, trocknen, fein hacken und dazugeben.

Alles mit etwas Alufolie bedecken, mit einem Deckel beschweren und bei milder Hitze ca. 20 Minuten schmoren lassen. Dazu passt Toastbrot.

LAMM-SPIESSE

Zubereitungszeit: ca. 25 Minuten
Für 4 Portionen

800 g Lammfilet
12 feste Rosmarinzweige
Salz
Pfeffer
3 El Butter
250 ml Lammfond
250 ml Madeira
250 g Ziegenkäse
Weißbrot zum Servieren

Das Fleisch waschen, trocknen und in Streifen schneiden. Die Rosmarinzweige waschen und leicht anspitzen.

Die Fleischstreifen daraufspießen und alles mit Salz und Pfeffer würzen.

Die Butter erhitzen und die Spieße darin von allen Seiten ca. 8 Minuten braten. Anschließend warm stellen.

Den Bratfond erhitzen und mit Lammfond und Madeira angießen.

Den Ziegenkäse in Würfel schneiden und in den Fond geben. Dicke Weißbrotscheiben mit dem Fond begießen und die Spieße darauf anrichten.

FISCH & MEERES-FRÜCHTE

Leicht und gesund: Unsere Fischgerichte für den Abend sind nicht nur schnell zubereitet, sondern auch richtige Wohlfühlgerichte. Mit viel Eiweiß und wenig Fett tun Sie Ihrem Körper nur Gutes!

FISCH MIT KOKOSREIS

Zubereitungszeit: ca. 10 Minuten
Für 4 Portionen

- *500 ml Kokosmilch*
- *100 g Rosinen*
- *200 g 5-Minuten-Reis*
- *Salz*
- *4 Schwertfischsteaks (à 200 g)*
- *Zitronensaft*
- *Pfeffer*

Die Kokosmilch mit 100 ml Wasser in einem Topf erhitzen. Die Rosinen und den Reis dazugeben und alles ca. 5 Minuten ziehen lassen. Salzen.

Inzwischen den Fisch waschen, trocknen, mit Zitronensaft beträufeln und mit Salz und Pfeffer würzen.

Das Öl erhitzen und den Fisch darin anbraten. Den Fisch ca. 5 Minuten ziehen lassen und mit dem Reis zusammen auf Tellern anrichten.

GEGRILLTES FISCHFILET

Zubereitungszeit: ca. 30 Minuten
Für 4 Portionen

150 g Maiskörner aus der Dose
100 g Frühlingszwiebeln
100 g rote Chilis
1/2 Bund Koriander
100 g Tomato al gusto mit Kräutern (FP)
3–4 El Chiliöl
1 El geschroteter Pfeffer
1 Tl Zitronensaft
4 Seefischfilets (à 200 g)
Salz, Rosenpaprikapulver
3–4 El Olivenöl
Kräuter zum Garnieren

Die Maiskörner in ein Sieb geben und gut abtropfen lassen. Die Frühlingszwiebeln putzen, waschen, trocken tupfen und in Ringe schneiden.

Die Chilischoten waschen, halbieren, entkernen und in feine Würfel schneiden. Den Koriander waschen, trocknen und in Streifen schneiden.

Die Zwiebeln mit Chiliwürfeln, Koriander, Tomato al gusto, Chiliöl, Pfeffer und Zitronensaft vorsichtig mischen. Die Maiskörner ebenfalls dazugeben. Das Ganze erhitzen und ca. 20 Minuten bei schwacher Hitze durchziehen lassen.

Inzwischen die Fischfilets waschen und gut trocken tupfen. Salz mit Pfeffer, Paprikapulver und Olivenöl mischen und die Fischfilets damit einpinseln.

Die Fischfilets von jeder Seite 4–5 Minuten grillen. Zusammen mit der Sauce anrichten und mit Kräutern garniert servieren.

CATFISH MIT ZWIEBELRELISH

Zubereitungszeit: ca. 30 Minuten
Für 4 Portionen

- *6 rote Zwiebeln*
- *3 Chilis, 1 El brauner Zucker*
- *1 El Senfkörner*
- *1 Tl getrockneter Rosmarin*
- *4–5 El Balsamico-Essig*
- *3–4 El Rotwein*
- *3 Eier*
- *4 El Mehl*
- *Salz, Cayennepfeffer*
- *Rosenpaprikapulver*
- *4–6 Catfishfilets (à 150–180 g, ersatzweise anderer Süßwasserfisch)*
- *5–6 El Olivenöl*

Für das Relish die Zwiebeln schälen und in feine Würfel schneiden. Die Chilis waschen, halbieren, entkernen und in feine Würfel schneiden.

Die Zwiebelwürfel mit den Chilis, dem Zucker, den Senfkörnern, dem gerebelten Rosmarin, dem Balsamico und dem Rotwein bei milder Hitze ca. 15–20 Minuten köcheln lassen.

Die Eier in einer flachen Schüssel verquirlen. Das Mehl mit den Gewürzen mischen und in eine zweite flache Schüssel geben. Die Fischfilets waschen, trocken tupfen und nacheinander erst in der Mehlmischung und dann in den Eiern wenden. Das Öl erhitzen und die Fischfilets darin von jeder Seite ca. 3–4 Minuten braten.

Das Relish eventuell mit Salz und Pfeffer nachwürzen und zusammen mit den Catfishfilets anrichten und servieren.

WÜRZ-GARNELEN

Zubereitungszeit: ca. 20 Minuten
Für 4 Portionen

600 g rohe Garnelenschwänze
2 rote Zwiebeln
3 rote Chilis
2 Knoblauchzehen
3 El gewürztes Sesamöl
1 El Sambal Oelek
1 Tl gehackter Ingwer
250 ml Kokosmilch
Salz
Pfeffer
Chilisauce
1/2 Bund Koriander

Die Garnelenschwänze aus der Schale brechen, längs halbieren und den Darm entfernen. Die Zwiebeln schälen und in feine Würfel schneiden.

Die Chilischoten waschen, halbieren, entkernen und in Würfel schneiden. Die Knoblauchzehen schälen und fein zerdrücken.

Das Öl erhitzen und das Gemüse darin anschwitzen. Sambal Oelek, Ingwer und Kokosmilch dazugeben und bei milder Hitze einkochen lassen, bis die Sauce dicklich ist. Mit Salz, Pfeffer und Chilisauce kräftig abschmecken.

Die Garnelenschwänze in die Sauce geben und ca. 5–10 Minuten darin ziehen lassen. Die Würzgarnelen mit Koriandergrün garniert servieren.

CHILI-HEILBUTT

Zubereitungszeit: ca. 10 Minuten
(plus Zeit zum Marinieren)
Für 4 Portionen

1 El Chilipulver
1 El Kreuzkümmelpulver
1 El Cayennepfeffer
1 El Zitronensaft
Salz
1 Tl brauner Zucker
125 ml Chiliöl
4 Heilbuttsteaks (à 200 g)
Öl zum Braten

Die Gewürze mit Zitronensaft, Salz, Zucker und Chiliöl verrühren.

Die Heilbuttsteaks waschen, gut trocknen und von beiden Seiten mit dem Würzöl bestreichen.

Das Ganze ca. 30–40 Minuten im Kühlschrank marinieren. Die Steaks aus der Marinade nehmen.

Etwas abtupfen und in einer mit Öl ausgepinselten Grillpfanne von beiden Seiten je 6 Minuten braten. Dazu passen grüne Bandnudeln.

SEEZUNGENFILET MIT APRIKOSEN

Zubereitungszeit: ca. 30 Minuten (plus Garzeit)
Für 4 Portionen

- *8 Aprikosenhälften aus der Dose*
- *6 Möhren*
- *1 kleines Stück Sellerie*
- *1 Petersilienwurzel*
- *1 Knoblauchzehe*
- *2 El Butter*
- *150 g Fischabfälle*
- *1 Lorbeerblatt*
- *6 schwarze Pfefferkörner*
- *4 Zweige Thymian*
- *200 ml Weißwein*
- *100 ml Sahne*
- *Zucker*
- *Salz*
- *Pfeffer*
- *4 Seezungenfilets*
- *4 El Kräuterbutter*

Die Aprikosen in einem Sieb abtropfen lassen. Den Aprikosensaft beiseitestellen.

Die Möhren und die Sellerieknolle putzen, waschen, schälen und in Stücke schneiden.

Die Petersilienwurzel schälen und ebenfalls in Stücke schneiden. Die Knoblauchzehe schälen und fein hacken.

Die Butter in einem Topf erhitzen und die Fischabfälle mit dem Gemüse darin braten. Lorbeerblatt und Pfefferkörner dazugeben.

Den Thymian waschen, trocknen und ebenfalls dazugeben. Mit dem Weißwein und 500 ml Wasser angießen. Alles ca. 20 Minuten bei milder Hitze ziehen lassen.

Alles durch ein Sieb gießen und den Fond auf ca. die Hälfte einkochen lassen.

Die Sahne, den Aprikosensaft und etwas Zucker dazugeben und so lange köcheln lassen, bis die Sauce sämig wird.

Inzwischen die Aprikosen in kleine Würfel schneiden und einrühren. Mit Salz und Pfeffer abschmecken.

Die Fischfilets waschen und trocknen. Die Kräuterbutter erhitzen und den Fisch darin von beiden Seiten braten.

Mit Salz und Pfeffer würzen. Mit der Aprikosensauce anrichten und servieren.

FRITTIERTE SARDINEN

Zubereitungszeit: ca. 20 Minuten
Für 4 Portionen

800 g küchenfertige Sardinen
Ingwer- und Chilipulver
1/2 Tl Kurkuma
Mehl zum Bearbeiten
1 Bund Koriander
3 Eigelb
100–120 g Mehl
125–250 ml helles Bier
Erdnussöl zum Ausbacken
1 unbehandelte Zitrone
Einige Blätter Lollo bianco zum Garnieren

Die Sardinen waschen, trocknen und von innen und außen mit Ingwer- und Chilipulver und Kurkuma einreiben. Die Sardinen in Mehl wenden und bereitstellen.

Den Koriander waschen, gut trocknen und die einzelnen Zweige ebenfalls in Mehl wenden. Eigelb verquirlen, das Mehl und das Bier unterrühren.

Das Öl im Wok erhitzen. Das überschüssige Mehl von Sardinen und Korianderzweigen abklopfen und diese portionsweise durch den Teig ziehen.

Die Fische und die Kräuterzweige portionsweise im heißen Erdnussöl ausbacken. Die Zitrone mit einem Tuch abreiben und mit einem Zestenreißer feine Streifen aus der Schale schneiden. Die Sardinen mit den Korianderzweigen anrichten. Mit den Zitronenschalenstreifen und dem Salat garnieren und servieren.

GEBRATENE MEERESFRÜCHTE

Zubereitungszeit: ca. 20 Minuten
Für 4 Portionen

- *800 g Meeresfrüchte (TK)*
- *1–2 El Fünf-Gewürze-Pulver*
- *1 Zweig Rosmarin*
- *1/2 Bund Thymian*
- *1 El Zitronensaft*
- *1 El Kapern*
- *20 g schwarze Oliven ohne Stein*
- *200 g getrocknete, in Öl eingelegte Tomaten*
- *4–5 El Erdnussöl*
- *2–4 cl Grappa*

Die Meeresfrüchte nach Packungsanweisung auftauen lassen. Mit dem Fünf-Gewürze-Pulver bestreuen und ca. 5 Minuten ruhen lassen.

Die Kräuter waschen, trocknen, von den Stielen zupfen und fein hacken. Die Kräuter mit dem Zitronensaft und den gut abgetropften Kapern verrühren. Die Oliven klein schneiden und dazugeben.

Die Tomaten auf ein Sieb geben und gut abtropfen lassen. Anschließend grob zerkleinern und ebenfalls zu der Kräutermischung geben.

Das Öl im Wok erhitzen und die Meeresfrüchte darin unter Rühren 3–4 Minuten braten. Herausnehmen und warm stellen.

Die Kräuter-Oliven-Tomaten-Mischung in dem verbliebenen Bratfett ca. 3–4 Minuten braten. Die Meeresfrüchte wieder dazugeben und 1 Minute erwärmen. Alles mit dem Grappa abschmecken, anrichten, eventuell mit etwas Schnittlauch bestreuen und servieren.

FLUSSKREBSE MIT TEQUILA

Zubereitungszeit: ca. 20 Minuten
Für 4 Portionen

40 Flusskrebse (frisch oder TK)
2 l Fischfond
3 El Rotwein
3 El Chilisauce
2 Eigelb
1 Tl Sardellenpaste
125 ml Öl
4 El Barbecuesauce
4 El Tequila
Salz
Rosenpaprikapulver
Cayennepfeffer
100 g Schmand
Zitronen, Petersilie und Chilis zum Garnieren

Die Flusskrebse waschen. Den Fischfond mit dem Rotwein und der Chilisauce zum Kochen bringen.

Die Flusskrebse darin portionsweise 5–10 Minuten garen. Mit einer Schaumkelle herausnehmen, gut abtropfen lassen und warm stellen.

Inzwischen die Eigelbe mit der Sardellenpaste verrühren. Das Öl langsam, in dünnem Strahl, unter ständigem Rühren dazugießen.

Die Barbecuesauce und den Tequila dazugeben und die Creme mit Salz, Paprikapulver und Cayennepfeffer kräftig abschmecken.

Den Schmand unterrühren und die Tequila-Creme zu den Flusskrebsen servieren. Mit Zitronenscheiben, Chiliringen und Petersilie garnieren.

DESSERTS

Für alle die, die gerne schlemmen:
Mit unseren raffinierten Desserts runden
Sie jede Mahlzeit ab!

APFEL-EIS

Zubereitungszeit: ca. 30 Minuten
Für 4 Portionen

2 Äpfel
5 El Mandelstifte
5 El Calvados
5 El Rosinen
3 El Ahornsirup
4 Kugeln Vanilleeis

Die Äpfel waschen, trocknen, halbieren und das Kerngehäuse großzügig entfernen.

Die Äpfel dann von außen mit der Hälfte der Mandelstifte bespicken, sodass sie wie ein Igel aussehen. Den Backofen auf 200 °C vorheizen.

Die Äpfel von innen mit etwas Calvados auspinseln. Die übrigen Mandelstifte mit dem restlichen Calvados, den Rosinen und dem Ahornsirup verrühren und alles in die Äpfel füllen.

Die Äpfel auf ein mit Backpapier ausgelegtes Backblech geben und alles im Backofen auf der mittleren Einschubleiste ca. 20 Minuten backen.

Kurz vor dem Servieren auf jede heiße Apfelhälfte eine Eiskugel geben.

CRÊPES MIT HIMBEERCREME

Zubereitungszeit: ca. 20 Minuten (plus Ruhezeit)
Für 4 Portionen

60 g Mehl
1 Päckchen Vanillinzucker
1 Prise Salz
1 Ei
300 g Himbeeren
2 El Puderzucker
Saft von 1/2 Zitrone
2 El gehackte Pinienkerne
150 g Frischkäse
1 Zwieback
2 El brauner Zucker
4 El Butter

Das Mehl mit dem Vanillinzucker, dem Salz und dem Ei zu einem glatten Teig verrühren.

Alles ca. 20 Minuten ruhen lassen. Die Himbeeren putzen, waschen, trocknen und durch ein Sieb streichen.

Die Himbeermasse mit dem Puderzucker, dem Zitronensaft, den Pinienkernen und dem Frischkäse verrühren. Den Zwieback zerbröseln und mit dem Zucker dazugeben.

Die Butter in einer Pfanne erhitzen und aus dem Teig portionsweise Crêpes ausbacken.

Die Crêpes dann mit der Creme bestreichen und aufeinanderstapeln. Tortenstücke darausschneiden und servieren.

OBST-WAN-TANS

Zubereitungszeit: ca. 30 Minuten
Für 4 Portionen

125 g Mehl, 1 1/2 Tl Zucker
1/2 Tl Butter
1 Apfel, 1 Birne
1 El Zitronensaft
4 Pfirsichhälften aus der Dose
1 Dose Ananasstücke
2–3 El Honig
1–2 El Zimtzucker
2–3 El gemahlene Mandeln
1 El Zucker

Das Mehl in eine Schüssel sieben. 1/2 El Zucker dazugeben. 50 ml Wasser leicht erwärmen und zusammen mit der Butter unterrühren. Alles zu einem einheitlichen Teig verkneten. Den Teig auf einer bemehlten Arbeitsfläche hauchdünn ausrollen. Den Teig in 12 gleich große Quadrate schneiden.

Den Apfel und die Birne schälen, entkernen und fein raspeln. Sofort mit dem Zitronensaft beträufeln. Pfirsiche und Ananasstücke in ein Sieb geben, gut abtropfen lassen. Die Pfirsiche in kleine Würfel schneiden.

Den Honig mit dem Zimtzucker und den gemahlenen Mandeln verrühren. Das Obst dazugeben und die Mischung in die Mitte der Teigquadrate geben. Die vier Ecken hochnehmen und oben zusammendrehen. Die Wan-Tans in ein Dampfkörbchen setzen. Ausreichend Wasser mit dem restlichen Zucker im Wok zum Kochen bringen. Die Körbchen hineinsetzen und zugedeckt bei milder Hitze ca. 10–12 Minuten garen. Die Wan-Tans auf Tellern anrichten und servieren.

GEBACKENE ANANAS

Zubereitungszeit: ca. 30 Minuten
Für 4 Portionen

- *4 Baby-Ananas*
- *2 Zimtstangen (à ca. 5 cm)*
- *1 El Sternanis*
- *1 frisches Stück Ingwer (2 cm)*
- *125 ml Batida de Coco (Kokosnusslikör)*
- *125 ml Mineralwasser*
- *3 El Walnussöl*
- *180 g Weizenmehl*
- *2 El Honig*
- *1 El Backpulver*
- *Fett zum Ausbacken*
- *Zitronenmelisse und Ananasstückchen*

Die Baby-Ananas waschen, schälen und dabei das Grün stehen lassen. Längs in Viertel schneiden. Die Zimtstangen mit dem Sternanis im Mörser zerstoßen.

Den Ingwer schälen, fein hacken und zu den Gewürzen geben. Alles noch einmal zusammen zerstoßen.

Die Ananas mit den Gewürzen bestreuen und ca. 15 Minuten kalt stellen. Inzwischen den Kokoslikör mit Mineralwasser, Walnussöl und Weizenmehl in eine Schüssel geben und verrühren.

Den Honig und das Backpulver unterrühren und anschließend den Teig ca. 10 Minuten ruhen lassen. Dann die Ananasviertel in den Teig tauchen und etwas abtropfen lassen.

Das Fett in einer Fritteuse erhitzen und die Ananas darin goldbraun ausbacken. Anschließend das Ganze auf Tellern anrichten und mit Zitronenmelisse und Ananasstücken garniert servieren.

BANANEN-KOKOS-WAFFELN

Zubereitungszeit: ca. 20 Minuten
Für 4 Portionen

80 g Butter
4 Eier
100 g Kokoscreme
50 g Frischkäse
200 g Reismehl
250 ml Ananassaft
Fett für das Waffeleisen
3 Bananen
2 El Ahornsirup
3 El Zitronensaft
4 El Kokoschips
Zitronenmelisse zum Garnieren

Die Butter in einem Topf schmelzen und anschließend abkühlen lassen. Die Eier trennen und das Eigelb mit der Butter, der Kokoscreme und dem Frischkäse verrühren. Nach und nach das Reismehl unterrühren und den Ananassaft dazugeben.

Das Eiweiß steif schlagen und vorsichtig unter den Waffelteig heben. Ein Waffeleisen einfetten und darin portionsweise die Kokoswaffeln ausbacken.

Inzwischen die Bananen schälen und in Scheiben schneiden. Mit Sirup, Zitronensaft und Kokoschips verrühren.

Die Bananen mit den Waffeln auf Tellern anrichten und mit Zitronenmelisse garniert servieren.

APRIKOSENKNÖDEL

Zubereitungszeit: ca. 25 Minuten
Für 4 Portionen

16 Aprikosen (ca. 750 g)
8 Stück Würfelzucker
500 g gekochte Kartoffeln
40 g Grieß
50 g Mehl
2 Eigelb
30 g weiche Margarine
Salz
100 g Weißbrotbrösel
100 g Butter oder Margarine
3 El Zimtzucker

Die Aprikosen waschen, entkernen und den Kern durch ein halbes Stück Würfelzucker ersetzen.

Die Kartoffeln fein reiben. Den Grieß, das Mehl, die Eigelbe, die Margarine und etwas Salz dazugeben. Alles mit den Knethaken des Handrührgerätes gut verkneten.

Aus dem Teig eine dicke Rolle formen und in 16 Scheiben schneiden. Je 1 Aprikose darauflegen und zu einem Kloß formen.

Die Knödel in kochendes Salzwasser geben. Bei schwacher Hitze 8–10 Minuten ziehen lassen. Die Knödel sind gar, wenn sie sich zu drehen beginnen.

Inzwischen die Weißbrotbrösel in dem heißen Fett goldbraun rösten.

Die Knödel abtropfen lassen, in den Bröseln wenden und mit Zimtzucker bestreuen.

BANANEN-KÜECHLI

Zubereitungszeit: ca. 20 Minuten (plus Quellzeit)
Für 4 Portionen

- *75 g Mehl*
- *1/4 Tl Salz*
- *1 Ei, getrennt*
- *4 El Wasser*
- *1 El Öl*
- *4 Bananen (600 g)*
- *Etwas Zitronensaft*
- *Pflanzenfett zum Frittieren*
- *Mehl zum Wenden*
- *Puderzucker zum Bestäuben*

Mehl, Salz, Eigelb, Wasser und Öl in eine Schüssel geben. Alles zu einem glatten Teig verrühren. Die Masse etwa 30 Minuten ausquellen lassen.

Inzwischen die Bananen schälen, in 2 cm lange Stücke schneiden und mit etwas Zitronensaft beträufeln.

Das Pflanzenfett in einem hohen Topf oder in einer Fritteuse auf 180 °C erhitzen.

Das Eiweiß zu steifem Schnee schlagen und unter den Teig heben.

Die Bananenstücke mit Küchenpapier trocken tupfen, nacheinander in wenig Mehl und im Teig wenden.

Im heißen Fett in 2–3 Minuten goldbraun frittieren. Auf Küchenpapier abtropfen lassen.

Die Bananen-Küechli noch warm mit Puderzucker bestäuben. Ergibt ca. 24 Stück.

GEBACKENE ZIMTÄPFEL

Zubereitungszeit: ca. 20 Minuten
Für 4 Portionen

2–3 Äpfel
2–3 El Zitronensaft
1–2 El Zimtzucker
6 El Weizenvollkornmehl
2 Eier
1 Prise Salz
1–2 El Sesamsaat
Erdnussöl zum Ausbacken
150 g Schmand oder
5–6 El Ahornsirup

Die Äpfel schälen, das Kerngehäuse ausstechen und die Äpfel in ca. 2 cm dicke Ringe schneiden.

Sofort mit dem Zitronensaft beträufeln. Anschließend mit dem Zimtzucker bestreuen und 5–6 Minuten durchziehen lassen.

Für den Teig das Mehl mit den Eiern, dem Salz und der Sesamsaat verrühren. Ausreichend Erdnussöl im Wok erhitzen.

Die Apfelscheiben durch den Teig ziehen und portionsweise im heißen Fett ausbacken.

Die Apfelscheiben entweder mit glatt gerührtem Schmand oder mit Ahornsirup anrichten und servieren.

REZEPTVERZEICHNIS